hoor jij dat ook?

claudia de boer

tekeningen
els van egeraat

KLUITMAN

Klavertje Een-serie

AVI 1

het spook

waar is vlek?

een paard in de tuin

de eend

wat zit er in die doos?

AVI 2

de hut

de heks

hoor jij dat ook?

ik zoek een muis

kletsnat

ga weg, rik!

de leeuw

pien wil een pony

avi 2

Boeken met dit vignet zijn op
niveaubepaling geregistreerd
en gecontroleerd door
KPC Groep te 's-Hertogenbosch.

Nugi 260/P080104
© Uitgeverij Kluitman Alkmaar B.V.
Omslagontwerp: Winnie Koenn
Allle rechten voorbehouden, inclusief
het recht van reproductie in zijn geheel
of in gedeelten, in welke vorm dan ook.
Dit boek is gedrukt op chloorvrij
gebleekt papier, dat vervaardigd is
van hout uit productiebossen.

Klavertje 1
AVI 1 na 4 maanden leesonderwijs
AVI 2 na 6 maanden leesonderwijs

Klavertje 2
AVI 3 na 9 maanden leesonderwijs
AVI 4 na 1 jaar leesonderwijs

Klavertje 3
AVI 5 na 18 maanden leesonderwijs
AVI 6

Klavertje 4
AVI 7 na 2 jaar leesonderwijs
AVI 8

loes ligt in een tent.
die staat bij een boer.
loes hoort iets raars.
„pssst, ron.
slaap je al?"
loes geeft haar broer een duw.
„ron, toe.
zeg nou wat.
ik hoor iets voor de tent.
ik ben bang!"

ron gaapt.
„eh... wat?
doe niet zo gek.
het is hier niet eng.
en ik hoor ook niets.
doeg, ik heb slaap."

zzz
zzz
zzz
zzz

loes zucht.
wat ron zegt, is waar.
hun tent staat bij een boer.
het is hier niet eng.
er was heus niks.
of toch wel?

krak   krak   krak

ron!
ik hoor weer iets.

nu gaat ron wel uit bed.
hij gluurt door een kier.
loes rilt.
„zie je wat?"

nee, niks.
er is vast een dief!

7

loes kruipt door de tent.
„pap.
mam.
kom vlug.
er is een dief!"

ja, ja.
ik kom al.

pap heeft nog slaap.
hij kijkt niet erg slim.
„is er een dief?
waar dan?"
loes knikt.
„bij de tent."

pap sluipt naar de rits.
hij maakt de rits los.
„waar is de lamp?"
„hier," zegt loes.
ze geeft de lamp aan pap.
mam komt er ook aan.
„pas je wel op?"

pap knipt de lamp aan.
hij schijnt op het gras.
pap kijkt rond.
waar is die dief?
dan ziet hij wat er is.

pap lacht.

„kom maar hier, loes!

het is niet eng.

zie je die troep?

die troep komt uit de zak.

de dief is een dier.

het dier had trek.

hij was op zoek naar voer.

ik heb een plan.

pak vlug je jas, loes.

jij ook, ron."

pap haalt een stuk worst.
„hier, loes.
leg dit maar bij de zak.
en kom dan naar die boom."
loes legt de worst neer.
ze rent naar de boom.
„wat wil je nou, pap?"

wacht maar af!

ik zie niets, hoor.

loes kijkt en kijkt.

het duurt lang.

dan ziet ze een schim.

de schim gaat naar de zak.

„kijk," zegt pap zacht.

„dat is de dief, loes.

was je daar nou bang voor?

het is een poes.

die vind jij toch leuk?"

loes knikt.

„mooi," zegt pap.

„en nu naar bed."

de poes pakt de worst.

dan rent ze hard weg.

loes ligt weer in bed.
ze heeft nog geen slaap.
„wat een grap.
ik was bang.
bang voor een poes.
een poes is juist leuk."
ron gaapt.
„jij wilt toch een poes?"
loes kijkt sip.
„ja, heel graag.
maar dat mag niet van mam."

mond dicht!

13

de zon schijnt.
loes gaat uit bed.
pap zit voor de tent.
„zo, ben je daar, loes?
het is al laat.
wij zijn al een uur uit bed.
komt ron er ook aan?
neem maar wat brood.
we gaan zo naar zee."

daar is ron.

hij gaapt nog.

„mag ik melk, mam?"

mam lacht.

„dat gaat niet.

de melk is op.

die heeft de dief."

ron kijkt om zich heen.

„waar is die poes dan?"

mam wijst.

loes loopt naar de poes.
„kijk, wat lief.
het zijn er twee.
de poes heeft een jong."

ron neemt een hap.
„nou en?
wat is daar nou aan?"
loes kijkt boos.
„doe niet zo stom.
een poes is leuk.
ik wil graag een poes.
een poes die klein is.
mam?
mag ik een poes?"

16

„nee," zegt mam.

„ik wil geen poes.

dat kan niet.

ik heb het veel te druk.

hier is een fles.

haal jij melk?"

loes gaat naar de boer.

dag, loes.
wat wil je?

loes geeft de fles aan de boer.
„mag ik melk?"
de boer kijkt raar.
„die melk is snel op.
je bent hier pas een dag.
jij lust graag melk!"

„ik niet," zegt loes.
„maar de poes wel.
die dronk het op.
is die poes van u?
en haar jong ook?"

18

ja, loes.
die poes is van mij.
ik noem haar snor.
en haar jong heet noor.
vind je ze lief?

loes knikt.
„ik wil ook graag een poes.
maar het mag niet."
de boer vult de fles.
„hier is je melk.
zeg loes…
ik zoek een huis voor noor.
mag je echt geen poes?"
loes schudt haar hoofd.
„mam wil het niet."
„tja," zegt de boer.
„en als ik het nou vraag?"

loes kijkt blij.
„wilt u dat doen?"
de boer lacht.
„ja hoor!
ik vraag het wel."

loes gaat naar de tent.
pap staat bij zijn fiets.
„waar bleef je nou?"
loes zegt niets.
ze geeft de melk aan mam.
dan gaan ze naar zee.

loes ligt op een bed in zee.
ron zwemt naar haar toe.
„waar denk je aan?"

ik denk aan snor.
en aan noor.

snor en noor?
wie zijn dat?

loes zucht.
„de poes heet snor.
zij is van de boer.
en noor is haar jong.
de boer zoekt een huis voor noor.
ik mag noor van de boer.
hij vraagt het aan mam."

het is al laat.
ze gaan weer naar de tent.
pap koopt vis.
ook voor snor en noor.

loes zit voor de tent.
ze geeft vis aan snor.
noor krijgt ook wat.
mam pakt een tas.
„er is geen sla meer.
ik koop wel wat bij de boer."

daar is mam weer.

ze kijkt boos.

„zeg, loes.

wat hoor ik nou?

wil jij noor mee naar huis?

dat wil ik niet."

ach, mam.
toe nou?

pap komt er bij.

„een poes?

dat gaat niet, loes.

dat weet je toch?

kom op, de vis staat klaar."

de vis is snel op.

mam heeft een plan.

„laat de boel maar staan.

we gaan naar het bos."

loes wijst.

„kijk, een hert."

pap lacht.

„zie je dat?

ze heeft ook een jong.

zeg, loes.

wil je dat jong soms ook mee?"

leuk hoor.
ik ga naar de tent.

wij ook!

de week gaat snel om.
nog één nacht.
dan gaan ze weer naar huis.

die nacht droomt loes.
ze droomt van noor.
en van de zee...

en nog veel meer...

het was hier ook zo leuk!

uit bed!

ring!

pap pakt de tent in.
ron aait snor.
loes kijkt rond.
„waar is noor?"
maar noor is er niet.
pap staat bij de bus.
hij doet de klep dicht.
„kom op, loes en ron.
we gaan weg.
zwaai maar naar de boer."

26

de reis duurt lang.
het is erg warm.
pap rekt zich uit.
„nog een uur.
dan zijn we weer thuis."
loes zegt niets.
ze kijkt uit het raam.
ze denkt aan noor.
waar was noor nou?

mam remt.

ze stopt voor hun huis.

„zo, daar zijn we dan!"

ron stapt uit de bus.

loes ook.

ze is stijf van de rit.

pap loopt naar de klep.

hij tilt de klep op.

„kijk nou eens!"

loes juicht.

„nu heb ik toch een poes."

mam lacht.

„ik bel wel naar de boer."

pap aait de poes.

„zeg maar dat noor hier blijft."

loes danst.

zo blij is ze.

ron wijst en lacht.

„kijk loes, jij hebt ook streepjes.

zo lijk je net op noor!"